D1177600

CNBLUE
Special Limited Edition
Re:BLUE

I'm sorry
Coffee shop
나 그대보다
나란 남자
라라라
Where you are (English Version)

CNBLUE
Special Limited Edition
Re:BLUE

Part1 Music video
Design By
KANG MIN HYUK

Part2 Music video sketch
Design By
LEE JUNG SHIN

Part3 Stage
Design By
LEE JONG HYUN

Part4 Stage behind
Design By
JUNG YONG HWA

Part I
Music Video
Design by KANG MIN HYUK

LCOME
BY
ANGERS
AS
RANGERS

하늘에선 비가내리고 가슴에선 한숨만쉬고 내 눈에선...

SUPER
BLACK
ARKET

그래 가. 너따위 필요없어

텅빈도로...
구름한점 없는 하늘...
이젠 없는듯한 내 심장.

아무리해도 너만 생각나

뻔뻔한 너의 한마디.

웃기는 너의 한 마디.

짜증난 너의 한 마디

화가 난 너의 한마디

사랑하지말걸 마음주지나 말걸

이렇게 나만 아프잖아...

다시는 안 할래 죽어도 난 안 할래

너에게 쉬웠던 그건 흔한 사랑따위

CNBLUE
in London

CNBLUE
Special Limited Edition
Re:BLUE

Part2..
Music video
sketch
Design By
LEE Jung Shin.

Behind Story "Sketch"

마지막 MV촬영날, 런던이 우리에게 선물을 주었다

SUPER
CLEAR

SUPER

걷고... 걷고... 또 걷고... 이대로 집가자...

CNBLUE
2013.1.14
Boice

생각치 못했던 멋진 뒷배경...

YONG hWa

jonG
hYnu

mIN
hYuK

TAKE ②
Panasonic

그리운 긴머리...

JunG
SHiN

Fender PRECISION BASS

I'M SORRY- CN BLUE
M. FUKATSA
N. IMURA
24.9.12
fabsound

'I'M SORRY. CN BLUE'
DIR M.FUKATSA
CAM N.IMURA
SCENE
SLATE
TAKE
A15
29
2
'I'M SORRY. CN BLUE'
B9
29
2
DIR. M FUKATSA CAM. N IMURA

건물옥상에서!

SUPER

RE...

In London.

Part 3
LONDON Concert Stage

Design by

Lee Jong hyun

안녕하세요. 기타치는 종현 입니다.
제가 Part3 LONDON Concert Stage를 담게 되었습니다.
공연에서의 저희 모습, 그리고 여러분들의
멤버 소개를 해드릴게요. 물론 다 아시겠지만?
하고픈 말도 있어서요. ^^

정용화 890622

CNBLUE 에서 보컬과 기타 그리고 리더를 그 누구보다
잘해가고있는 용화형 입니다.
항상 우리의 기둥이 되어주고 자랑스런 첫째형 입니다.
매사에 최선을 다하고 노력하는 형의 모습을 보기때문에
저 또한 많은 발전을 할 수 있다고 생각 합니다.
그러기에 너무 고맙고 앞으로도 잘 부탁 한다는 말을 하고 싶네요.
이제부터가 시작이니 마음모아서 꿈을 이루자고!!!
자, 그럼 사진 감상 해 보시죠!

이종현 900515
다들 잘 아시죠 이사람?
그래요 그사람 이랍니다...
CNBLUE에서 기타치고 노래하는 저에요.
나름 둘째형 노릇을 열심히 하려 노력하고 있어요.
자, 그럼 사진 감상 하시죠!

강민혁 91 06 28

저희 막내 민혁이 입니다.
점점 글씨가 이상해지는 가운데...
제일 귀여워 보이지만 가장 어른스러운 민혁이.
동생이지만 가끔 형같은 우리동생, 든든한 동생 입니다.
누구보다 목표가 뚜렷하고 잘 해나가고 있어 너무 자랑스럽습니다.
형이 너에겐 걱정이 없다 앞으로도 형들 잘 부탁하마 동생

dw
dw
drums
dw

WITH
PRIDE

이정신 910415

우리 귀염둥이 정신이 입니다.
항상 우리 멤버들의 기분을 최고조로 만들어주는 고마운 막내랍니다.
지금은 얼굴만봐도 웃음이 나오는데요..
그만큼 항상 노력하고 잘하고있고 앞으로도 잘 할거라고 믿고,
우리들의 분위기를 잘 부탁해♡
난 니가 참 좋다♡ 알고있겠지만 좋다 멍충아♡♡

2

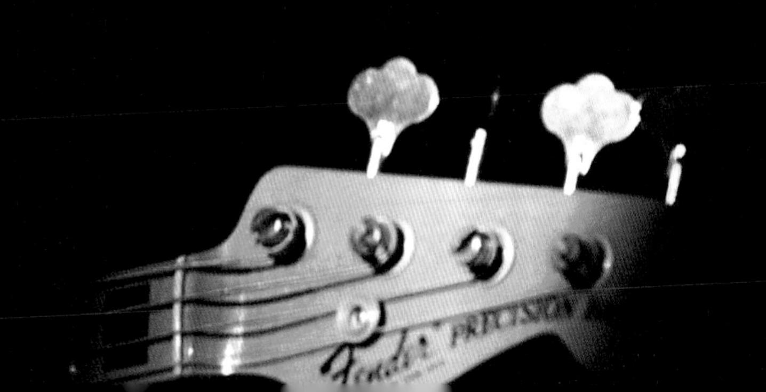
PRECISION
Fender

indigo
Customer Safety

Marshall

다음은 여러분들께!
지금 까지도 너무 감사드리지만
이제 부터가 시작 입니다.
제가 어느 공연을 보고 느꼈는데요.
공연장 무대 위 아티스트들도 대단하지만
공연의 완성은 관객들이 만든다는 걸
깨달았습니다. 여러분들도 대단하신 거에요!
앞으로는 더 멋진 공연, 그리고 멋진 음악을
만들어 나갑시다! 잘 부탁해요.
지금 곁에 있어주는 멤버들에게 너무 고맙고
부모님들께도 감사드리고, 우리 FNC 식구들
마지막으로 보이스 여러분들께
이런 앨범이 나올 수 있게 해주셔서
감사 드립니다!

Part 4
Stage behind

Design by

JUNG YONG HWA

드디어 런던에 도착!
런던 공연의 큐시트!

공연의 리허설 장소는 어떤 느낌?
많은 스탭들이 앞에 있으니 떨린다..

긴장의 몰카보5..
동생들도 긴장...

드디어..!
시작된 리허설!

언제 긴장했냐는 듯 연습에 열중!

런던에서도 빛나는 우리 막내들..

다할 ! 공연장 도착!

꼼꼼하게 멤버들도 모두 체크중!

보컬 체크도 시작!
이제 리허설 시작!
Start!

든든한 보컬 지원군!

Marshall

연습이 한창인 우리!

화이팅을 외치고 나가자!

그 후의 일들은 비밀!
Secret! 쉿!

다시 공연하고 싶은.
큰 추억이 되었던 런던..!

CNBLUE
Special Limited Edition
Re:BLUE

+ Part5
Design behind

YONG HWA
JONG HYUN
MIN HYUK
JUNG SHIN

BLUE

CNBLUE
Special Limited Edition
Re:BLUE

I'm sorry

작사 : 정용화, 한성호
작곡 : 정용화, 한승훈
편곡 : 이상호

(It's over I'm sorry) (Do it do it do it now Do it do it do it now) 뭐라고 난 네 말 모르겠어 나 싫다는 네 말을 모르겠어 완전히 미쳤어 정신차려 미쳤어 R U crazy (R U crazy) 간다고 슬픈 척 연기 말고 떠난다고 핑계도 그만 말해 완전히 미쳤어 정신차려 미쳤어 R U crazy (I'm really want you to get away) 네 마지막 말은 그 차가운 말은 I 'm sorry (I 'm sorry) I 'm sorry (I 'm sorry) 사랑한다더니 나밖에 없다더니 Oh 그렇고 그런 거짓말이야 네 이별의 말은 그 당당한 말은 I 'm sorry (I 'm sorry) You tell me sorry (You tell me sorry) 모두가 변해도 너만은 아니란 말 Oh 누구나 말하는 그런 뻔한 말일 뿐이야 뻔뻔한 너의 한 마디 웃기는 너의 한 마디 (I 'm sorry I 'm sorry) 짜증난 너의 한 마디 화가 난 너의 한 마디 Oh oh back to me I'm so crazy 나라고 너에게 전부다 준 나였는데 갑자기 떠난다고 완전히 미쳤어 정신차려 미쳤어 R U crazy (R U crazy) 가라고 마음 다 떠난 사람 보낸다고 더 이상 잡지 않아 완전히 미쳤어 정신차려 미쳤어 R U crazy (I'm really want you to get away) 네 마지막 말은 그 차가운 말은 I 'm sorry (I 'm sorry) I 'm sorry (I 'm sorry) 사랑한다더니 나밖에 없다더니 Oh 그렇고 그런 거짓말이야 네 이별의 말은 그 당당한 말은 I 'm sorry (I 'm sorry) You tell me sorry (You tell me sorry) 모두가 변해도 너만은 아니란 말 Oh 누구나 말하는 그런 뻔한 말일 뿐이야 뻔뻔한 너의 한 마디 웃기는 너의 한 마디 (I 'm sorry I 'm sorry) 짜증난 너의 한 마디 화가 난 너의 한 마디 Oh oh back to me I'm so crazy 네 말에 내가 또 무너져 네 말에 하늘도 무너져 악몽 같은 네 말 듣기 싫어 제발 Oh no no 내 귓가에 울린 내 가슴에 박힌 I 'm sorry (I 'm sorry) I 'm sorry (I 'm sorry) 사랑하지 말걸 마음 주지나 말걸 Oh 이렇게 나만 아프잖아 내 두 눈을 적신 내 심장에 박힌 I 'm sorry (I 'm sorry) You tell me sorry (You tell me sorry) 다시는 안 할래 죽어도 난 안 할래 Oh 너에게 쉬웠던 그런 흔한 사랑 따위 잔인한 너의 한 마디 냉정한 너의 한 마디 (I 'm sorry I 'm sorry) 상처 난 너의 한 마디 쓰디 쓴 너의 한 마디 Oh oh back to me I'm so crazy

Coffee shop

작사 : 정용화
작곡 : 정용화
편곡 : 정용화, 한승훈

(Coffee shop oh my coffee shop Coffee shop oh my coffee shop) 사랑하는 연인들도 슬퍼서 우는 사람들도 모두가 앉아있네 커피 한잔에 Oh 째깍 시간 보내네 과제 밀린 학생들도 일에 쫓기는 직장인도 모두가 앉아있네 커피 한잔에 Oh 째깍 시간 보내네 Oh 모여봐 이리와 Everybody coffee shop 모두 다 말해봐 걱정들을 모두 다 Oh no no no no no 눈치 볼 필요 없어 Oh come on baby Oh 모여봐 이리와 Everybody coffee shop 모두 다 말해봐 기쁜 일들 모두 다 Oh no no no no no 다 이곳에서 모여 Oh come on baby 긴 생머리 그녀들도 작업을 거는 남자들도 모두가 앉아있네 커피한잔에 Oh 째깍 시간 보내네 Oh 모여봐 이리와 Everybody coffee shop 모두 다 말해봐 걱정들을 모두 다 Oh no no no no no 눈치 볼 필요 없어 Oh come on baby Oh 모여봐 이리와 Everybody coffee shop 모두 다 말해봐 기쁜 일들 모두 다 Oh no no no no no 다 이 곳에서 모여 Oh come on baby Oh yeah! (Yeah!) Oh, welcome to my place. Oh, my lady (Woo) Oh, my girl (Yeah!) Ah ah I wanna dance right now, so awesome tonight, get ready? Say 1! (1!) 2! (2!) 1! 2! 3! Let's go! 모여봐 즐겨봐 Everybody coffee shop 모두 다 느껴봐 지금 이순간만을 Oh no no no no no 눈치 볼 필요 없어 Oh come on baby Oh 모여봐 이리와 Everybody coffee shop 모두 다 말해봐 기쁜 일들 모두 다 Oh no no no no no 다 이 곳에서 모여 Oh come on baby

나 그대보다

작사: 한성호, 김재양
작곡: 이종현, 김재양
편곡: 김재양

멈춰버린 시간 그 안에 (그 안에) 웃고 있는 네가 보여 따뜻하게 날 안아주며 사랑해 사랑해 내게 속삭이던 You are my everything 넌 떠났지만 나 그대보다 나 그대보다 눈물이 많아 더 슬픈 건가 봐 나 그대보다 나 그대보다 더 그리워 보낼 수가 없나 봐 또 하루 가고 일년이 가도 그대가 다시 내게로 올까 봐 잊지 못하고 놓지 못하고 바보처럼 아직 사랑 하나 봐 나 그대보다 조금만 더 함께 했다면 (그대와) 조금 더 웃어줬다면 내사랑 더 안아줬다면 사랑해 사랑해 이 맘 전했다면 You are my everything 넌 떠났지만 나 그대보다 나 그대보다 눈물이 많아 더 슬픈 건가 봐 나 그대보다 나 그대보다 더 그리워 보낼 수가 없나 봐 또 하루 가고 일년이 가도 그대가 다시 내게로 올까 봐 잊지 못하고 놓지 못하고 바보처럼 아직 사랑 하나 봐 나 그대보다 나 그대만큼 나 그대만큼 착하지 않아 나 벌을 받나 봐 나 그대만큼 나 그대만큼 못해줘서 후회로만 남나 봐 내 눈물만큼 내 아픔만큼 더 행복해줘 그거면 되니까 사랑하니까 사랑하니까 너 하나만 행복하면 되니까 그대 나보다

나란 남자

작사 : 정용화, 한성호
작곡 : 정용화, 한승훈
편곡 : VYNYL HOUSE, 정용화

나를 좋아한다고 내 맘 흔들어 놓고 왜 계속 계속 계속 말 돌리는 거야 확실히 말해 네 맘 듣고 싶어 난 Oh 지금 지금 지금 당장 내게 말해 (너의 말에) 무너지는 나를 보면 넌 한심해 보이지만 (네가 말해) 차갑게 날 밀어내 제발 너의 늪에 빠지기 전에 이런 너 너 너란 여잔 안 되는데 나 나 나란 남자 바보같이 너 너 너란 여잘 못 떠나는 내가 난 미워져도 자꾸만 미련이 남아 Tell tell tell me right now 아님 Get get get away now 제발 Tell tell tell me right now 아님 Get get get away now 지금 너와 내 사인 친구도 아닌 사이 왜 계속 계속 계속 질질 끄는 거야 애매한 사이 더는 이대론 싫어 Oh 지금 지금 지금 당장 내게 말해 (구차하게) 매달릴 순 없잖아 나는 시작도 못했는데 (네가 말해) 확실하게 잘라내 제발 너의 늪에 빠지기 전에 이런 너 너 너란 여잔 안 되는데 나 나 나란 남자 바보같이 너 너 너란 여잘 못 떠나는 내가 난 미워져도 자꾸만 미련이 남아 Tell tell tell me right now 아님 Get get get away now 제발 Tell tell tell me right now 아님 Get get get away now 혼자 아파하면 돼 이렇게 끝나도 모두 잊혀지겠지 딴 여잘 만나면 이제는 그립겠지 늦은 밤 통화도 모두 잊혀지겠지 시간이 지나면 너 너 너란 여자 사랑하는 나 나 나란 남잔 미련하게 너 너 너란 여잘 못 지우는 내가 더 싫어져도 자꾸만 너만을 원해 Tell tell tell me right now 아님 Get get get away now 제발 Tell tell tell me right now 아님 Get get get away now 혼자 아파하면 돼 이렇게 끝나도 모두 잊혀지겠지 딴 여잘 만나면 이제는 그립겠지 늦은 밤 통화도 모두 잊혀지겠지 시간이 지나면 시간이 지나면 시간이 지나면

라라라

작사 : 정용화
작곡 : 정용화
편곡 : 한승훈, 정용화

오랜만이야 우연히 널 본 게 여전히 예쁜 그대로야 옆에 그 남자 참 좋아 보였어 그 남자 손 절대 놓지마 Oh 널 사랑해서 널 떠난 거야 너를 보낸 거야 날 미워해도 더 잘됐잖아 넌 웃고 있잖아 나 아니어도 네가 웃어준다면 Oh 라라라라라라 나나나나나나 Oh 나 아니어도 네가 행복하다면 Oh 라라라라라라 나나나나나나 행복해 (행복해 행복해 You must be happy You must be happy) 처음엔 몰랐어 사랑도 몰랐어 그래서 널 아프게 했어 매일 나에게 상처 난 네 맘을 이제야 난 알 것 같은데 Oh 나 미안해서 난 고마워서 너를 보낸 거야 넌 모르지만 다 잘된 거야 넌 행복하니까 나 아니어도 네가 웃어준다면 Oh 라라라라라라 나나나나나나 Oh 나 아니어도 네가 행복하다면 Oh 라라라라라라 나나나나나나 행복해 날 떠나가도 좋은 사랑 만나면 Oh 라라라라라라 나나나나나나 Oh 날 떠나가도 너는 행복하니까 Oh 라라라라라라 나나나나나나 괜찮아 Hey girl 네 앞에 나타나고 싶지도 너를 피곤하게 하고 싶지도 않아 넌 아름다워 지금도 여전히 널 응원하고 행복해지기를 순수히 빌어줄게 사랑? 몰라 아무튼 미치도록 좋아했어 너만 이젠 그 말도 소용없는 말이니 여기서 그만하고 갈께 Skip

Where you are (English Version)

작사 : 정용화
작곡 : 정용화
편곡 : Kenji Tamai, Rui Momota

I'm breaking down. I am screaming out. My time is running out. What do I do now? Oh give up? or stand up? I don't know. I wanna break the spell now. I'm drowning now. I am crying out. My time is running out. I need someone to save me now. Somewhere, Lady luck will smile at me. Yeah I'm searching where you are. Oh, shining down on me from where you are. I'll always be right there, baby. Always be right there, baby. Oh, please touch my body and my face. I'm searching where you are. Can you see what I need? It's where you are. I'll always be right there, baby. Always be right there baby. You know? When I can be where you are, only then I will shine bright. I'm crumbling down. I'm falling apart. My time is running out. What do I do now? Oh give up? or stand up? I don't know. I wanna break the spell now. I can't breathe now. I'm losing myself. My time is running out. I need someone to save me now. Somewhere, Lady luck will smile at me. Yeah I'm searching where you are. Oh, shining down on me from where you are. I'll always be right there, baby. Always be right there, baby. Oh, please touch my body and my face. I'm searching where you are. Can you see what I need? It's where you are. I'll always be right there, baby. Always be right there baby. You know? When I can be where you are, only then I will shine bright. I wanna be like a bird. I wanna fly to the sky whenever, oh wherever. I will search where you are right now. And I will fly high. I'm searching where you are. Oh, shining down on me from where you are. I'll always be right there, baby. Always be right there, baby. Oh, please touch my body and my face. I'm searching where you are. Can you see what I need? It's where you are. I'll always be right there, baby. Always be right there baby. You know? When I can be where you are, only then I will shine, only then I will shine, only then I will shine bright. Only then I will shine bright. Only then I will shine bright.

CNBLUE
Special Limited Edition
Re:BLUE

CREDITS

EXECUTIVE PRODUCER FNC ENTERTAINMENT
PRODUCER BY 한성호
SUPERVISOR BY 조성완
CO-PRODUCED BY 한승훈, 김재양
COMPOSED BY 정용화, 이종현, 한승훈, 김재양
LYRICS BY 정용화, 한성호, 김재양
ARRANGED BY 정용화, 한승훈, 김재양, 이상호, VINYL HOUSE, Kenji Tamai, Rui Momota
CHORUS CNBLUE, 전근화
GUITAR 정용화, 이종현, 정재필
BASS 이정신
DRUM 강민혁
PIANO 정용화, 한승훈, 김재양
SYNTHESIZER 정용화, 한승훈, 김재양, 이상호, VINYL HOUSE
TALKBOX 서재우
BAND ADVISOR BY 신민규
A&R 박홍준
RECORDING STUDIO FNC ENTERTAINMENT STUDIO, MUSIC CUBE STUDIO
RECORDING ENGINEER 이유진, 조씨아저씨, 박진세, 정다미
MIX STUDIO FNC ENTERTAINMENT STUDIO, MUSIC CUBE STUDIO
MIX ENGINEER 이유진, 조씨아저씨
MASTERING STUDIO SUONO MASTERING
MASTERING ENGINEER 최효영
ASSISTANT MASTERING ENGINEER 고지선
MARKETING BY 이재용, 김영선, 김은영, 신송이, 김윤진, 심형준, 선세미
MANAGEMENT 이승호, 강종혁, 송윤호, 김웅희, 김민호, 이선민, 한대정, 이성경, 이승희
FAN MARKETING BY 김군자, 최하영, 표진희
PUBLIC RELATION 최영아
PHOTOGRAPHER 안성진@Art Hub TEO
STYLIST DIRECTOR 이한욱@Art Hub TEO
ASSISTANT STYLIST 윤수, 지희, 한나, 혜진
HAIR 이혜영
MAKE UP 이지영
MUSIC VIDEO Fukatsu Masakazu
MAKING FILM PLAY COMPANY
MAKING EDIT PLAY COMPANY
PRINTED BY 광명프린팅
ART DIRECTION & DESIGN 조대영, 정새롬 @RAINBOW BUS, 정용화, 이종현, 강민혁, 이정신
SPECIAL THANKS All FNC ENTERTAINMENT Staff, All BOICE Members
OFFICIAL HOMEPAGE WWW.CNBLUE.COM
OFFICIAL YOUTUBE WWW.YOUTUBE.COM/CNBLUE
OFFICIAL FACEBOOK WWW.FACEBOOK.COM/CNBLUEOFFICIAL
OFFICIAL FAN CAFE CAFE.DAUM.NET/CNBLUE

CNBLUE